REMINISCENCE

# Adonis

아도니스

만화
**팀 아도니스**

원작
**혜돌이**

**동아미디어**
DongA Media Co.,Ltd.

# 목 차

chapter 0 ............................... 5p

chapter 1 ............................... 25p

chapter 2 ............................... 53p

chapter 3 ............................... 67p

chapter 4 ............................... 87p

chapter 5 ........................... 103p

chapter 6 ........................... 119p

chapter 7 ........................... 135p

chapter 8 ........................... 153p

chapter 9 ........................... 169p

chapter 10 ......................... 187p

chapter 11 ......................... 205p

chapter 12 ......................... 225p

Petit Adonis ....................... 245p

chapter 0

나의 패배를
인정하지.

아르하드
로이긴….

대체 어쩌다가
내게
집착해서는…

나보다
네가 더…
불쌍하구나.

…너는
어째서 그리
고집불통이라….

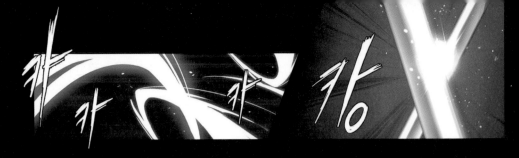

후회하는 건
나라고?

이제
너의 모습을
볼 일도

너를
바라볼 일도
없겠지.

이제 모두
끝이다!!

다시는
내 눈에
띄지 않게
불태워 주마!

번쩍

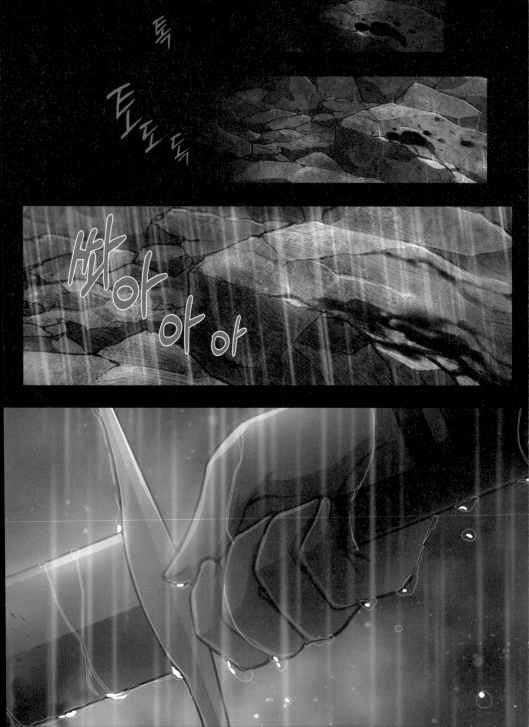

…너는 나의 숙적이었으나

결코 미워할 수 없었다.

아르하드 로이긴….

으릿…

…혹여
다음 생이
있다면.

그땐 적이 아닌…

너의 기사가…

되리…

다음 생이 존재한다면

당신에게 검을 바치리니…

# chapter 1

악귀

아무리 핏빛으로
물들었다 해도

악마

괴물

권력에 미친 여자

미련따윈 없는
삶이었는데—

아르하드 로이긴!!

운명의 숙적인 그 남자를 만나

최후를 맞이했건만—

다시
이아나
로베르슈타인으로
태어난 지

이아나!!

어느새
10년이 지났다.

이 어미가
이리도
업신여김을
당하는데

나를 다그치는
이 여자는
내 어머니인
르보니.

어째서
잠자코 있니!!

내 편을
들어 줄 사람은
딸인
너 밖에 없어!!

로베르슈타인
백작가의
두 번째 부인이다.

넌 늘
그렇게 날
쳐다보는
구나!!

네 눈에도
내가 그리
창녀처럼
보이느냐?!

찰싹 찰싹

백작의 사랑을
그토록 원했지만
끝끝내 얻지 못하고

결국
자신의 야망을 위해
나를 도구처럼
이용했었지.

이제 겨우 쓸모 있어졌구나.

...하지만 과거의
그 여자와는
조금 다르군.

어째서 내게
처량한 말을
늘어놓으며

이해와 관심을
구걸하는 거지?

타다
닥

우스꽝스러운
희극...

아니,
비극 같구나.

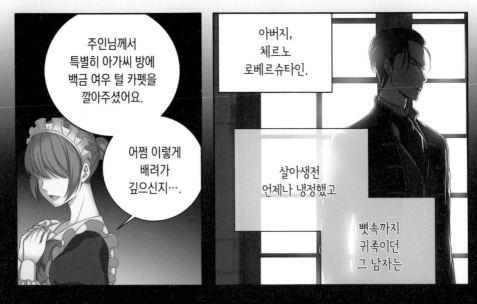

주인님께서
특별히 아가씨 방에
백금 여우 털 카펫을
깔아주셨어요.

어쩜 이렇게
배려가
깊으신지….

아버지,
체르노
로베르슈타인.

살아생전
언제나 냉정했고

뼛속까지
귀족이던
그 남자는

언제나
나를 무시하고
혐오하는 눈빛으로
바라보았지.

이제는
배려가 깊은
아버지인가…
우습군.

영애, 듣고
계신가요?

물론이지요,
프랄소느 부인.

좋아요,
그럼 제가
말한대로
걸어보세요.

......

하지만
솔직히 영애는
수업 태도가
불량하고

태생이 천한
평민의 딸이라는 게
느껴져요.

어찌 이리
완벽한 예법을
선보이시는지.

왜 그럴까,
그 어미에
그 딸이라
그런가?

...그렇군요.

태생이 천하다면

열심히하는 모습이라도 보이셔야지!

짜악

아무도 오지 않으려는 것을 백작님과 부인의 부탁으로 특별히 왔더니!!

이아나를 잘 부탁 드려요.

영애는 이 사교계에서 결코 성공하실 수 없을겁니다!!

당신을 비롯한
사람들에게

천출을 극복한 귀부인

조금이나마
애정을 원했지만

가문에 어울리는
귀품스러운 영애

말 잘듣는
착한 아이

변하는 건
아무것도 없었다.

친한 핏줄은
어쩔 수 없군

이해할 수 없구나
이전 삶과는 달리
모든 게 바뀌어있거늘.

…그런데 왜
나만이
현재가 아닌

이 사라지지 않는
기억에 얽매여있는 것인가—

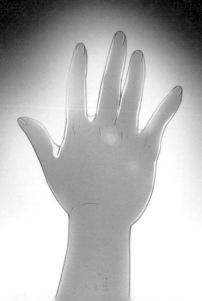

이곳이
나의
현실이라는 걸
인정하자.

그런데
어째서
삶이 다시
시작하는
거지?

그 남자에게
죽었던 것도
최선은
아니었지만.

다시
살고 싶다고
생각한 적은
없었어!

내 선택은
충분히
만족스러웠는데
…!

모두 기나긴
꿈이었나?
지독한 과거들이
다 허상이었어?

애정을 포기하고
모든 것을 체념하고

유일하게 날 인정해준
왕자의 아래에 들어가
반발하는 자들을 제거하며

그 남자가 일으킨
전장에 뛰어들어

죽이고 또 죽이다가

또
그 남자의 손에
최후를 맞이해야
하는가?!

47

하르첸님이 오늘도 꽃을 보내오셨어요.

이잉

언제나 식전 쯤에 꽃을 보내시더니

오늘은 아가씨께서 이리 짓뭉개놓으실 걸 미리 아셨나 봐요.

당장 갖다 버려.

이복 오빠 하르첸 인가.

안 돼요, 이렇게 이쁜 걸요.

후훗

오늘은 아도니스랍니다.

도련님이 꽃집에 가셨을 때

아름다운 붉은 빛깔에 이끌렸다고 하시더라구요.

아도니스의 꽃말은…

회상과 추억 이라고 해요.

회상과… 추억?

회귀했지만

변함없는 주변 환경과 천한 신분…,

아가씨?!!

그리고 나만이 가진 과거의 기억들.

부질없어.

chapter 2

아가씨,
이러시면
안 돼요.

아스피, 내게
간섭하지 마라.

네 관심이
아주 귀찮을
지경이야.

종알

…아,
아가씨는
어쩜….

말을 그렇게 냉혹하게 하세요!!

아아앙

말투가 칼 휘두르는 기사 같아요!!

이게 전부 카니츠 경 때문이에요!!

카니츠와는 관계없어.

아계요!!

같이 다니시더니 말투까지 물들었어요!

어쨌든 카펫을 치워야 하니 그대로 두세요, 사람들을 불러올게요.

끼익.

아, 그리고 아가씨….

내 편….

전 언제나 아가씨의 편이에요.

56

'추억과
회상'…?

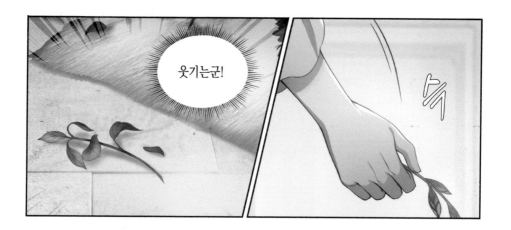

웃기는군!

一검!!

정식으로 검을
배우기 전까진

잊고 살려 했건만—!

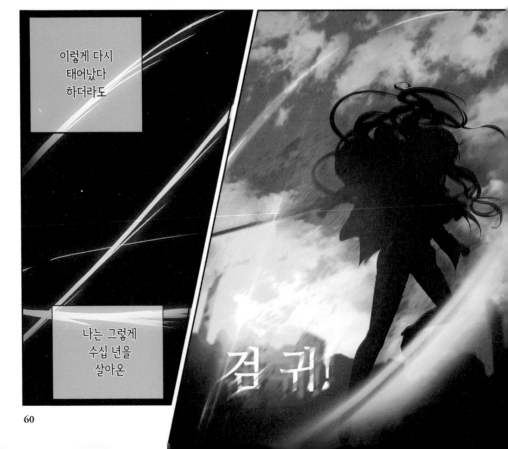

이렇게 다시
태어났다
하더라도

나는 그렇게
수십 년을
살아온

검 귀!

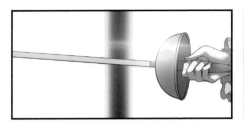

검은

매일
숨 막혔던
내 삶에서

모든 것이었고
영혼이었다.

…그래,
내 영혼에
새겨진

검에 대한
열정이
사라질 리는
없지.

검이라 하니

챙
…

그 남자를

챙
챙
…

처음 만났던 날이
떠오르는구나. —

로안느 왕국
건국 기념
청년 검술제

제…
젠장.

고작 저런
계집애에게
지다니…!

—이아나
로베르슈타인
승리!!

이아나 / 19세

와아아

…….

훗

…저 여자.

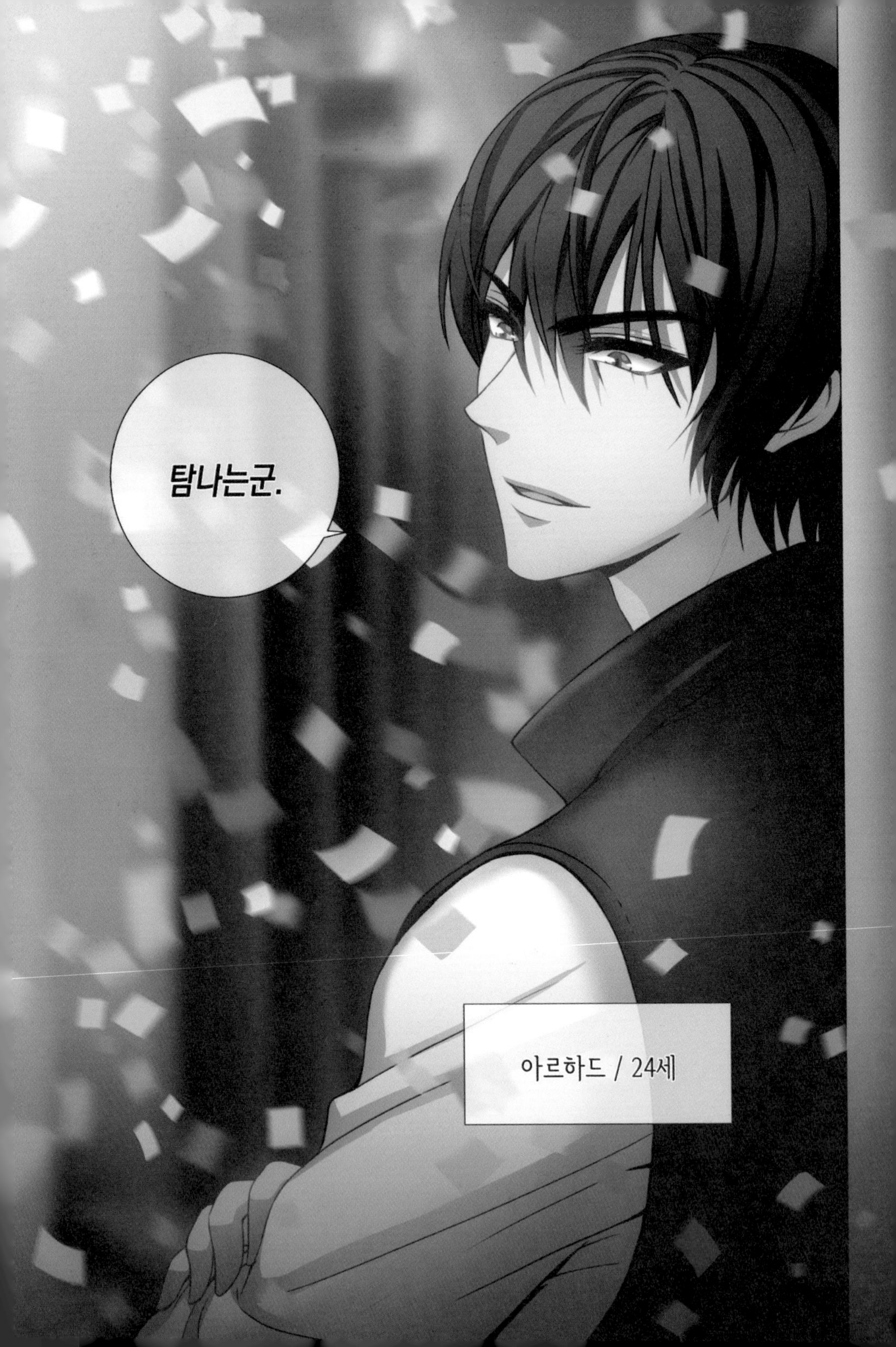
탐나는군.
아르하드 / 24세

# chapter 3

그런 일격에…
어이없군.

하!

저벅

이아나
로베르슈타인
이라고 했나?

저벅

아직 다듬어지지
않았지만
제법 훌륭하군.

후에는 정말
볼 만하겠어.

으득..

...
기대되는걸?

나는 너와
좋은 관계를
맺고 싶다만
너는 그게
아닌 거 같군

아르하드가
본명인가?

사는 곳은?
귀족인가?

닥쳐라.
다음엔 그 입을
함부로 놀리지
못하게 해주겠다.

지금은…

아르하드
로이긴이라
해두지.

나는
너를…

갖고 싶다.

우리가
다시
만나는
그 날

너는 나를
꺾어
보아라.

아르하드...
진짜 이름은
아르하드 로
라르소
바하무트.

훗날,
바하무트의
황제가
되는 자.

하지만
내게 있어
넌…

너만한
천재는
본 적이 없다.

너야말로
나의 제국에
어울리는 자.

널
내 곁에
두고
싶구나.

너는 내게
그저 숙적일 뿐.

비로소
나는 패배를
인정했다.

하지만 너의
진정한 승리는
아니었다.

나는 네 검에
졌으나

너는 끝내
나를 가지지
못했으니까.

이번 생은 끝났다.
그러나 다음 생에는…

그렇게
끝났거늘

난 무엇을 위해
회귀했는가

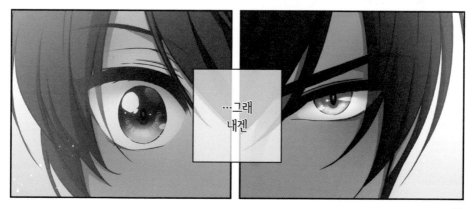

...그래
내겐

—너에게 한 맹세가 있었지.

...이번엔
적이 아닌
너의
기사가 되리.

짝

사락

나쁘지
않아.

chapter 4

아가씨?
잠시 들어가도
괜찮을까요?

어머,
이스피.

이아나
아가씨를
찾는 거예요?

아가씨라면
금방 어딜
가시던데…

설마?!
그 사람이랑?!

예,
아가씨.

난 오늘부터
아무도 모르게
검을 수련할
생각이다.

안 됩니다.

어째서?

그러니 네가
도와줘야겠다.

네 훈련소에서
레이피어 한 자루를
가져와라.

예?

기초 체력을
갖추시지
않은 상태에서

검을
들었다가
몸이 상하실
겁니다.

아가씨는
아직 검을 들기엔
어리실뿐더러

로베르슈타인
가의
천한 아가씨가
아닌 주인으로

…네 말대로
아직은
시기상조구나.

그저
나라는 존재를
있는 그대로
받아들여주는

그래도 가져와.
나는 검과
친해지고 싶으니.

네가
마음에 든다,
카니츠.

…알겠습니다

그러고보니
네 어머님
께서는
어떠시지?

신분의 차가
있으니
말을 높이지
않으셔도…

묻는 말에
대답 해라.

91

어찌 저같은 것을 위해….

바라지 않습니다.

누가 널 위해 쓴다고 하였나.

카니츠.

이건 나를 위해 쓰는 것이다.

싱긋

넌 내게 단 하나뿐인 호위기사니까.

언제나 상냥하고
아름다운…

정말
감사드립니다.

나의 작은
주군이시여ㅡ.

처음부터
필요 없는
돈이었어.

내 사람인 네게
가치 있게 쓰였다면
그걸로 충분해.

아가씨가
어딜 계시든지
따르겠습니다.

목숨을
바쳐서라도.

카니츠, 넌
예나 지금이나...

이아나 로베르슈타인의 호위기사가 되고 싶으면 자원하시오!

반쪽짜리 귀족의 호위기사?

수군
수군
수군

내 프라이드에 용납이 안되는 일이구만.

술렁

술렁

그따위 일을 누가 하겠다고….

!!

넌 예나 지금이나 달라진 것이 없구나.

됐어. 네 목숨을 바칠 필요는 없고

감사하게 생각하고 있으면 좋은 검이나 골라 와.

요즘
이아나 아가씨.

재잘
재잘

산책 시간이
길어지는 것
같지 않아요?

눈에 안 보이니
좋기만 한걸요,
뭐.

......

핫!

카니츠.

내가 학술원에
입학할 수 있는
16살이
되기 전까지

후들
후들

검을 수련하는 걸
비밀로
해줬으면 한다.

학술원?

아카데미가 아닌
평민들이 다니는
발젠타 학술원
말입니까?

그래.
반쪽짜리 귀족이
갈만한 곳이
어디 있겠냐만은…

그래도 썩어있는
귀족들이 있는
테오도르보다는
능력 있는 평민들이

자발적으로
모인 곳이
좀 더
좋지 않겠느냐.

난 그곳에서
미래를
준비할 것이다.

아가씨는 학술원에 진학하시기 위해 검을 잡으신 겁니까?

…한 가지만 여쭈어도 되겠습니까.

학술원 입학은 검을 배움으로써 부차적으로 얻는 자격일 뿐….

……

검은 내 삶이니까.

......

...알겠습니다.
저희 둘만의
비밀로
하겠습니다.

지금은
아가씨의 뜻을
잘 모르겠지만…

슬슬
돌아갈까.

그 뜻을
펼치시는 날까지
따르겠습니다.

…그래.

...잘하고
있구나,
이아나.

chapter 5

그래, 이어서 저번에 배웠던 것을 요약해서 말해 보렴.

대륙 중앙에 롯소 산맥을 경계로 남쪽의 로안느와 북쪽의 바하무트는 오랫동안 앙숙이었습니다.

바하무트는 대부분 로안느의 국교인 라오스 신교를 믿지 않으며,

추운 북부지역에 위치해 사람들의 피부는 대체로 창백합니다.

바하무트는 따뜻한 남부 지역을 탐해서 계속 로안느를 침범하는 것일 수도 있다고 말씀하셨지요.

하지만 로안느는 최근 16년간

바하무트와 작은 충돌만 있을 뿐 평화로운 상태입니다.

바하무트를 경계하는 이들은 전쟁을 위해 힘을 기르며 웅크리고 있다고 하셨습니다.

성긋

그래. 잘 기억하고 있구나.

훗

그분들은 백작님의 부탁때문에 제 귀에 지식을 읊으러 와 주시는 것 뿐입니다.

허허, 다른 스승들 앞에서도 이런 모습을 보이면 얼마나 좋을까.

제라드 스승님 ...

다른 스승들과는 달리 유일하게 따뜻함을 가르쳐주신 분.

...원, 녀석도.

이것이 네가 선택한 운명이었더냐!! 가엾은 것!

쯔ㅏ

악

…왜 저를
그런 눈으로
보시는
겁니까?

저는 지금
누구보다

제 삶에
만족하고
있습니다!

......

이아나.
너의 삶은 네 것이고,
네가 개척하는 것이다.
운명이 아닌
너의 선택으로
만들어 가는 게야.

뭐
궁금한 거라도
있느냐?

아니요.
스승님의 수업을
듣고 싶습니다.

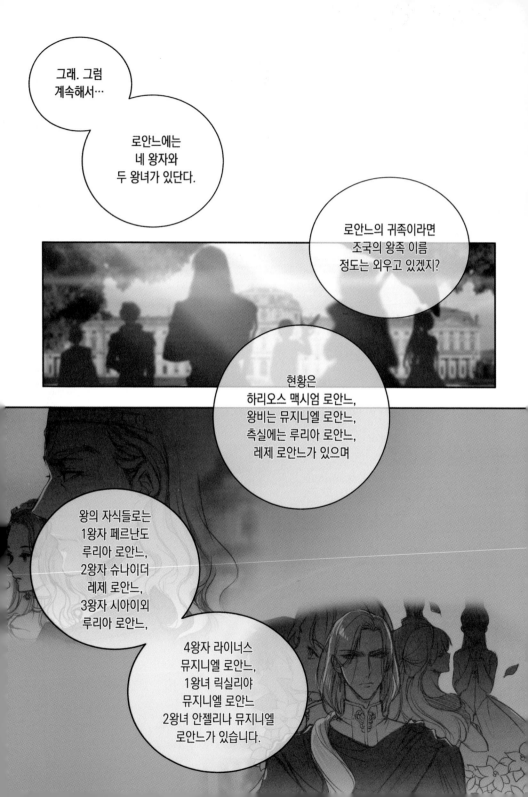

그래. 그럼
계속해서…

로안느에는
네 왕자와
두 왕녀가 있단다.

로안느의 귀족이라면
조국의 왕족 이름
정도는 외우고 있겠지?

현황은
하리오스 맥시엄 로안느,
왕비는 뮤지니엘 로안느,
측실에는 루리아 로안느,
레제 로안느가 있으며

왕의 자식들로는
1왕자 페르난도
루리아 로안느,
2왕자 슈나이더
레제 로안느,
3왕자 시아이외
루리아 로안느,

4왕자 라이너스
뮤지니엘 로안느,
1왕녀 릭실리야
뮤지니엘 로안느
2왕녀 안젤리나 뮤지니엘
로안느가 있습니다.

잘 알고
있구나.

반면 바하무트는
다소 온건한 성향인
필리어드 사르폰
바하무트가
집권하고 있고

그 곁에는 황후
샤일런스 바하무트가
있단다.

그 외 많은 여자들이
황제의 하렘에 있지.

하지만 자식은
황후에게서
단 둘뿐.

황태자
테일런 바하무트와
황녀
이사벨라 바하무트
뿐이란다.

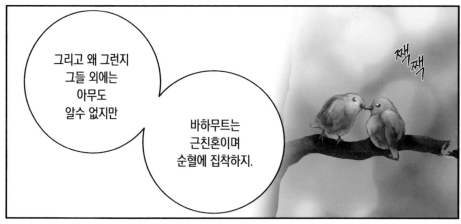

그리고 왜 그런지
그들 외에는
아무도
알수 없지만

바하무트는
근친혼이며
순혈에 집착하지.

쨱
쨱

아르하드 로 라르소 바하무트는 이 끔찍한 황실의 숨겨진 황자인걸까….

이아나, 바하무트 황실의 특징은 어떻지?

흑발과 흑안의 소유자들이며, 그들의 전투능력은 최강으로 칭해집니다.

그래, 너무 강력한 나머지 전장에서 한번이라도 그들을 본 사람들은 악마라고 부를 정도로 강력하단다.

아르하드는 바하무트 특유의 짙은 흑안이 아닌 금안…. 순혈이 아니다.

그런데도 그를 제거하려던 바하무트 황실을 역으로 몰살하고 황제가 되었구나.

기존 황족보다 훨씬 강하다는 걸까.

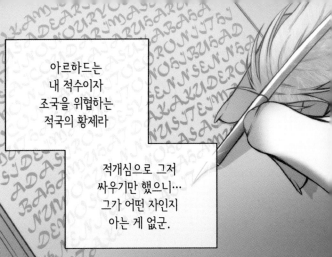

아르하드는
내 적수이자
조국을 위협하는
적국의 황제라

적개심으로 그저
싸우기만 했으니…
그가 어떤 자인지
아는 게 없군.

아르하드
로이긴으로
알아두어라.

로이긴….
그것이 그를
찾을 수 있는
열쇠일지도….

오늘은
여기까지 하마.

감사합니다.

꾸벅

……．

내가
냉혈한으로
변모해 다시
태어났을지언정

속닥

한결같이 인자한
스승님을 다시
보고 있으니
가슴 한 구석이
무겁구나….

달그락

화악

어머!

다치시진
않으셨나요?
어쩌나~
빨갛게 부었네요.

하녀
페질라!

서두르다
미처 못 보았네요.
죄송해요오,
이아나님.

......

...조용하네?

네, 맞아 맞네.

아무 말도
못할 거라고
했잖아.

116

차는 생각지도
못했지만.

예전처럼 네가
내 앞에 나타나 주니
다행이군.

네에?

응?

대, 대체 무슨 말씀이신지?

뭐라는 거야?

어머, 지금 하녀가 몇 마디 했다고 우시는 거예요?

우후후, 우리 이아나님, 마음도 여리셔라.

이 백작가에서 이아나님의 편은 한 사람도 없다니까요?

우시는 모습마저 누굴 닮아 그리 천박하세요, 진짜.

페질라. 너에게 벌을 내리겠다.

chapter 6

네?

멍청한
계집
같으니….

?!

이젠
귀까지
멀었느냐?

121

내가 아무리 천하고 악독한 여자의 배 속에서 태어났을지라도

네 주인의 식솔이자 너의 상전이다.

그러니 하나 묻지.

백작님께서 너에게 이리 하라고 명령하셨나?

아프신 사라체 마님께서 해 달라고 하셨어?

그도 아니면 하르첸 도련님께서 이리 하라 네 귓가에 속닥거렸나 이 말이다.

아,
아니오….

…그럼

독단으로
내게 이런 일을
저질렀다는
거냐?

건방짐이
머리 끝까지
치솟은
계집이구나!!

엎드려
사죄하기는커녕
비웃은 네년들을
용서하지 않겠다!

벌떡!

이 붉은
기운은…?

설마
그분의
…?

쏴악..

짝

아앗!!

페질라여
....

이대로
네년을
내 무릎 아래에
꿇리고

펄펄 끓는
쇳물을 얼굴에
붓겠다.

너같이
천한 계집의
피와 살점따위

내 상처의
절반의 가치에도
미치지 못하지만
말이다.

!!

요…요…
……용서를
…부디…!

왜 그러지?
이게 너희가
생각하는
악독한 르보니의
딸 아닌가?

거기 웬
소란이냐!

!

하르첸!!

페질라…

…와
이아나…?

도,
도련님…!

칫….

대체
무슨 일….
앗!!

귀찮은
녀석이
왔군….

이아나!
팔에
화상이?!

타악

…!!

하, 하지만 ......

도련님!! 살려주세요!!

도련님과는 상관없는 일입니다.

?!

페질라! 혹시 네가 그런 것이냐?

용서…! 용서해 주세요!!

부모님과 내가 이아나에게 손대지 말라 하지 않았더냐!!

꿈틀

…페질라.

너는
오늘부터 내게
관심을 버려라.

내가
무엇을 하든
결코 상관하지
마라.

나를 없는
인간이라고
생각해라.

만에 하나
그러지
못한다면…

다음에는 오늘 못한 처벌을 반드시 행하겠다.

알겠느냐?

!?

이아나 아가씨~~!! 아이 참 여기 있으셨네!

오싹

히익…!!

이스피…

왜 이리
안 오시나 했더니
여기서 뭐 하셔요?
카니츠 님이
기다리세요~

어머나,
하르첸
도련님?

…지금
가려던
참이다.

어서
가자.

네에…
??

멍..

꾸벅

앗?! 혹시
다치셨어요?

찻물에
좀 데였다.

어쩌시다가
그러셨어요!

빨리 제게
보여주세요!

아가씨!!

약해…

이 몸은
너무
약해…!

더욱 힘을 기르지 않으면……!

아가씨!!

……

chapter 7

후우….

사락

붕

…오늘은
카니츠도 없으니
대련도 힘들겠고

이쯤에서
끝내고
산책이나 할까?

학술원
입학까지
어느새 반년이
남았구나.

밧스락

이아나!!

붕붕

!

르보니
....

이아나....

!!

기다려!

이거 놔.

너…
너는
…!

누구보다
날 위해야
해…

너만큼은…
나에게
그래서는
안돼….

나는
네 어미야!!

왜
이러는
거지?

요즘
실성한 것
같다는 소리가
들려오더니만
사실이었나.

어미라고
…!

엄…마….

나 좀
안아주면
안 돼요?

사람들이
너무
무서워요
…!

아빠 말고…
나도 좀
봐주세요…

제발….

타악

난 평생
단 한 번도
당신을 어머니로
여긴 적 없어!!

다시 한번
말해줄까?

넌
내 어미가
아니야.

그러니 내게 뭔가
바라지 말고
네 백작님이나
따라다니라고.

이 역겹고
더러운
여자야.

이아나…!

미안
내가 널
너무 난폭하게
다뤘구나….

…

예전부터
그랬듯

날 위로해
주는 건 검과
이 쉼터뿐….

검으로
처음 사람을
죽였었다.

chapter 8

그날은
호위 기사인
카니츠가

훈련을 위해
자리를
비운 날이었다.

달칵

반짝

…?

난…?

쩌O강

!!

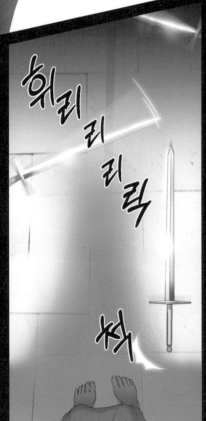

휘리리릭

쎅

흠칫..

…!

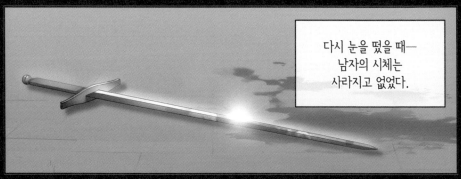

다시 눈을 떴을 때—
남자의 시체는
사라지고 없었다.

카니츠에겐
말하지 않았다.

그가 안다면
밤을 지새우며
호위할 게
분명하니까.

결국,
그 후에도
범인의 정체는
밝히지 못했다.

누구의
사주였는가?

그의 시체는
어디로 갔는가?

하지만
지금 생각해보니
비슷한 시기에
자취를 감춘 자가
있었군….

외조부
호르비!

백작에게
홀딱 반해버린
자신의 딸
르보니를 위해

막대한
재산을 들여
더러운 방법으로
로베르슈타인
가문을
압박한 자.

어느 날
그가
행방불명된
후부터―

르보니는
내게
들러붙게
되었다.

그리고 지금
르보니가
내게 집착하기
시작했어!

166

조만간
무슨 일이
일어나는
건가?

타다다닥

마님!

!

돌아왔니,
페질라?

네에….

하아…
고 계집애가
얼마나
날카로운지
하마터면
들킬 뻔
했사옵니다.

그것 참 고생했구나.

…저어 역시 이 일은 다른 애를 시키시면 안 될까요?

사라체 님.

…이아나는 오늘 무엇을 하더냐?

싱긋

chapter 9

로안느 북부에 위치한 로베르슈타인 가문은 무기 생산을 중심으로 부흥해왔다.

그러나 바하무트 제국과의 전쟁이 끝나고 평화의 시대가 도래하면서 무기에 대한 수요량은 점차 줄어들었다.

탐욕스럽지 않은 성품과 대대로 쌓아온 부가 있기에

그다지 곤궁은 겪지 않았다.

하지만 어느 날부터인가 로베르 슈타인령을 방문하는 상인들이 갑자기 줄기 시작했다.

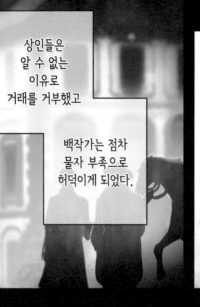

상인들은 알 수 없는 이유로 거래를 거부했고

백작가는 점차 물자 부족으로 허덕이게 되었다.

그때 나타난 이가 대상인 호르비였다.

백작가와 친분을 다지기 위해

조금 도움을 드리고 싶습니다.

호르비는 대량의 무기를 원하는 거래처를 소개해주었다.

뭐라고?? 그게 정말인가?

한숨 돌렸다 싶었을 때— 기묘한 사건이 일어났다.

무기를 이송하던
호위병들이
낭떠러지에
이르러 모든 무기를
수장시킨 후에,

자신들 또한
투신하는
어처구니없는 일이
벌어진 것이다.

이로 인해
엄청난 채무를
지게 된
백작가에

호르비는
파격적인
빚 탕감을
조건으로
하나의 제안을
해왔다.

그것은 자신의 딸
르보니를 백작의
아내로서
맞이해 달라는 것!

품위와 도덕심을
갖춘 로베르슈타인의
당주 체르노는
고뇌했다.

제 능력이
부족해서
가문을 위기에
빠뜨렸다는
자괴감과 분노.

사랑하는 아내,
사라체에 대한
죄책감 등이
그를 짓눌렀다.

나는…
어떻게
하면….

그러나
이대로라면
백작가는
분명 파산한다.

스윽..

…사라체!

……저는 괜찮아요.

부디—
이 가문을
지켜주세요….

저는 그분을
좋아할 수도
없고

앞으로도
좋아질 것
같지 않아요
….

페질라….

꿀꺽..

페질라….
내가 왜 너에게
그 애를 지켜보라
했는지 모르겠니?

감시를
위해서가
아니신가요?

그런 게
아니란다
….

나는
그 아이가
가엾어.

그 아이의
어둡게 닫힌
눈을 볼 때마다
가슴이 아파.

나도
르보니는
좋아하지
않아.

임자가 있는
남편을 빼앗으려
발톱을 세우는
그 여자가….

하지만
르보니를
닮았다고 해서
죄 없는 이아나까지
미워하면 안 돼.

무엇보다 이아나도
로베르슈타인의
피를 이어받은
아이야.
가족이란 말이야.

나는
이아나에게

죄를
지었다는
기분이 들어….

사라체님도 참… 너무 신경쓰시는 것 아닌가요?

그딴 계집앨….

벌을 내리마.

물론 좀 무섭긴 하지만….

페질라, 너! 백작가의 영애에게 계집애가 뭐니!

깜짝

어릴 때처럼 회초리를 들어야 버르장머리를 고치겠니?

이아나에게 찻물을 끼얹었을 때처럼 종아리가 터지도록 때려야 하겠어?

만일 네가 내 딸 같은 아이가 아니었다면 호된 벌을 내린 후에 내쫓았을 거야!

뜨끔

뜨끔

…죄송해요, 마님.

그래도… 그분이 싫어요.

페질라
....

전쟁고아인
나를
거두어주신

존경하는
사라체 마님.

언제나
온화하고
행복한
부부셨다.

하지만
그 여자가
나타난 후론
......!

사라체님!!

쨍그랑

그러고 보니
오늘 둘이
다투던데요?

르보니와
이아나…
님이요.

…아!

다퉜다고?

이아나 님이
르보니에게
마구
소리치더라구요.

멀어서
자세히는
안 들렸지만…

울부짖는
르보니를 두고
이아나 님이
떠나버렸어요.

다퉜다…?
대체 무슨 일이
있는 걸까
그 모녀는….

너를
이아나라
부르리라.

르보니…
회임 중엔
그토록
배 안의 아이를
아끼더니만.

정작 이아나가
태어난 후론
자식을 보는 부모라
생각할 수 없을 정도로
증오를 내보였지.

왜일까….

마님,
이제 공기가
차가워졌으니
이만 안으로
들어가시지요.

그러자꾸나.

체르노,
좋은 하루
보내셨어요?

꾸벅

차를 준비
시킬까요?

음?
조금 피곤해
보이는데…
무슨 일 있었소?

사라체,
여기 있었군.

······.

체르노...

당신은 이아나를 어떻게 생각하나요?

어떻게 라니....

쾅

잠깐만요! 멋대로 들어가시면 아니 되옵니다!

저리 비켜!

마, 마님!! 둘째 부인께서 듭시옵니다!

쿵 쿵

체르노!!

!!

역시 여기 있었군....

르보니!!

186

chapter 10

르보니….

갑자기 웬 소란이냐.

당신이 나를 만나 주지 않으니 이리로 올 수밖에 없지요.

…사라체를 만나러 온 것인가?

네에~ 사이좋게 당신의 귀가를 기다릴 생각 이었습니다.

…….

체르노?

잠시 실례하지.

따라오거라, 르보니.

성큼 성큼

체르노♥

체르노
로베르슈타인은
위화감을 느꼈다.

호르비의
거절할 수 없는
제안에
르보니를
아내로
맞이했으나

그녀와의 결혼 후,
거짓말처럼
상인들의 내왕이
재개된 것이다.

일련의
사건의 원인은
호르비와
르보니에게
있는 것이
아닐까??

그래서 그는
의도적으로
르보니를
가까이했다.

당신을
전부터
사모
했습니다.

…그게
언제부터지?

상인의 말로는—

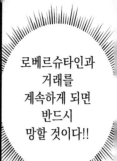

로베르슈타인과
거래를
계속하게 되면
반드시
망할 것이다!!

분명 자신은
입항 직후 호르비에게
초청을 받았다고 했다.

그런데,
집에 돌아오자
불현듯 이런 생각이
들었다고 한다.

왜 그런 생각이
들었는지는
알 수가 없습니다.

다만 그 땐,
더 없는 사실로
느껴지지 뭡니까?

다른 자들의
말도
별반 다르지
않았다.

세뇌인가?
아니,
그건 그리
손쉬운 마법이
아니다.

호르비가
무언가를 조작한 건
확실하다.

까악!

후드득

무엇보다
세뇌였다면,
풀렸을 때
자아가
붕괴되었겠지.

하지만
그로 인해
이득을 얻은 자는
…?

호르비 부녀가
수작을 부렸다고 해도
증거가 없었고

르보니의 뱃속엔
이미
로베르슈타인의
아이가 있었다.

이제와서 저택에서
내쫓을 수는 없었다.

응애
응애

저 입을
틀어막고
싶구나!!

네 방으로
돌아가.

?

두 번 다시는
사라체를
찾아오지 마라.

!!

왝

거기서,
체르노!!

내게 대체
왜 이러는
거야!!

너야말로
...

이번엔 직접
차에 독이라도
탈 생각이냐?

부들
부들

…당신이
날 버리기
전엔

사라체에게
질투한 적
없어….

난 당신을
사랑했기에
모든 걸
잃었는데…!!

내겐
당신밖에
없었어!!

…나는 널
사랑한 적이
없다.

앞으로도
변함없을 거야.

그럼 어째서 친절하게 대해 준 거예요 …?

왜 당신을… 사랑하게 만든 거예요….

체르노, 제발— 나를 두고 가지 말아요…!!

chapter 11

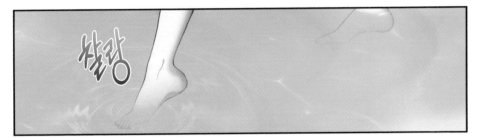

찰랑

사락

꽤 길었군…. 자를까?

검을 휘두를 때도 거추장스럽고….

무슨 짓을 하신 거예요, 아가씨!

!

이스피가 분명 시끄럽게 굴겠지.

그냥 두자…

찰랑

아가씨
오셨어요?

배 많이 고프시죠?
저녁 준비가
거의 다 되었답니다.

차라도
들고 계세요.

......

이스피.

네?

고맙구나.
항상.

어쩜
날이 갈수록
아가씨에게서
빛이 나는 것
같아요.

반짝
반짝
두근거려라~

...난 그런
칭찬은
좋아하지
않아.

이대로라면
훌륭한 신랑을 찾는 건
문제도 아니세요!

아,
상대는 적어도
백작 이상이어야
해요!

이아나,
그대의 눈동자에
건배를.

그 아래로는
절~~~대
용납할 수
없고,

응!
왕자님도
괜찮겠네요!!

꺄아ー

내 결혼
타령하지 말고
너나 잘
생각해보아라.

넌 다시
결혼할 생각
없느냐?

아가씨도 참~. 전 아가씨 옆에서 뼈를 묻겠다고 했잖아요~.

진지하게 하는 말이다.

나는 네가 여자로서 행복해졌으면 해.

너라면 분명 좋은 어머니가 되겠지.

나는 그 아이의 어미가 될 너를 이렇게 붙잡아 놓고 싶지 않구나….

…아가씨.

저는 가족이 필요하다고 생각지 않는답니다.

주제넘은 말이지만

저는 아가씨를 딸처럼 여기고 있어요.

…남편을 잃고 덩달아 배 속의 아이마저 잃었을 때

저는 거의 제정신이 아니었어요.

그런데 그때,

결혼을 하면서 하녀를 그만두었던 저를 사라체 마님이 유모로서 부르셨지요.

아가씨가 제 품에
안기던 순간은
아직도
잊을 수 없어요.

네가 나의
진짜
어머니였다면
…….

내가 너의
진짜
딸이었다면
…….

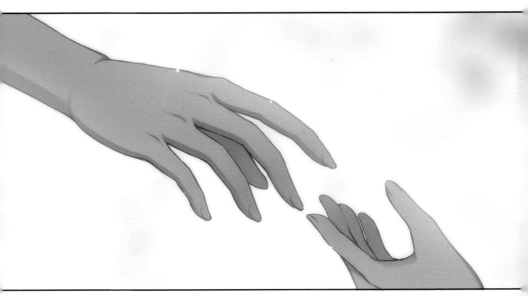

나는 분명
행복한 아이로
자라났겠지.

꼭 읽어두렴

성서 따윈
아무래도 좋지만,
제라드 선생님을
실망하게
하고 싶지는
않으니….

팔랑

217

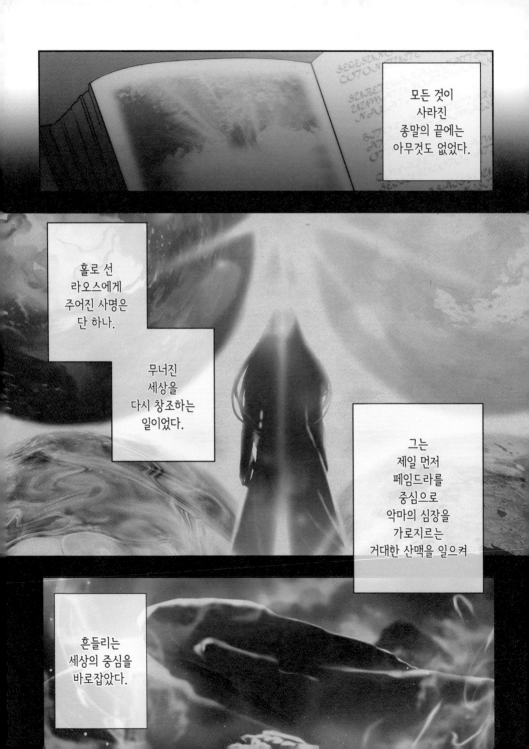

모든 것이
사라진
종말의 끝에는
아무것도 없었다.

홀로 선
라오스에게
주어진 사명은
단 하나.

무너진
세상을
다시 창조하는
일이었다.

그는
제일 먼저
페임드라를
중심으로
악마의 심장을
가로지르는
거대한 산맥을 일으켜

흔들리는
세상의 중심을
바로잡았다.

성서에 나오는
이 산맥은
대륙의
북부와 남부를
가르는 롯소산맥으로
추정된다.

이 거대한 산맥은
마도 시대가 시작된 지
이천 년이 넘은
세월이 흘렀음에도
불구하고
아직 개척되지
않은 곳이다.

먼 옛날에
호기심 많던
대 마법사들과
실력 좋은
모험가들이

산맥 중앙으로
탐험을 떠났으나
전멸해버린
일이 있었다.

도망쳐서
유일하게 살아남은
마법사의 말로는
롯소 산맥의
핵심부에는
거대한 괴물이
도사리고 있었다고 한다.

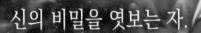

신의 비밀을 엿보는 자.

지옥의 업화 속에서
죽을 지어다!

그 뒤로도
많은 마법사와
검사들이
무리를 지어
길을 떠났지만
돌아온 자는 없었다.

사람들은 괴물에게
드래곤이라는
이름을 붙이고
신의 비밀을 지키는
드래곤을
신격화하기 시작했다.

?

달칵

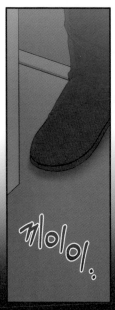

끼이익.

!

저벅
저벅

chapter 12

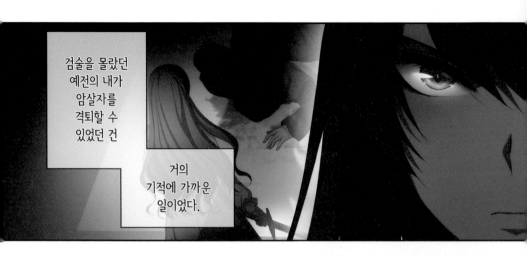

검술을 몰랐던
예전의 내가
암살자를
격퇴할 수
있었던 건

거의
기적에 가까운
일이었다.

하지만
지금은 달라!

탓

퍼억

어디…
얼굴 좀
볼까?

입을
열지 않겠다?
…좋아.

몇 번이든
죽여 주마.

기억해.
나는 절대 내 적에게
자비를 베풀지 않아.

나와
피가 이어진
이들에게는
더더욱.

뭐… 뭐지,
이건?
마나?

달콤한
쾌감과
벅찬 충족감

그리고
원초적 욕망이
밀려든다…!

이게 대체
무슨 일이야!

벌컥

!

르보니?
네가 왜
여기에
….

…당신…?

?

당신이로군요
—!!

아아, 그리웠어요, 저는 당신이 너무나 그리웠어요!

위대하신 나의 주인! 나의 신이시여!!

외로워…. 외로웠어요!

외로움이 너무 차가워서 미쳐버릴 것 같았어요!

저를 이렇게 살지도 죽지도 못하게 만든 당신이….

차라리 미웠어요!!

비….

비켓!

팍

까악!

누구와 착각한 거냐…

…이, 이아나?

그래, 나다. 네 딸이다.

왜 여기 있는지 묻고 있을 텐데?

호…

홋호호호!
그래,
넌 내 딸이지!

네가
그분일 리가
없지!
그렇고 말고!

내가 왜
여기 있냐고?

당연히
너를 죽이려고
왔지!!!

쿵

미워서
참을 수 없는
너를!!

나를 세상에 내보낸 건
너였을 텐데…
무엇을 이제 와서….

내가…
무엇을 했기에…!

넌 내가
살아갈 이유를
빼앗아서
태어났어!

?

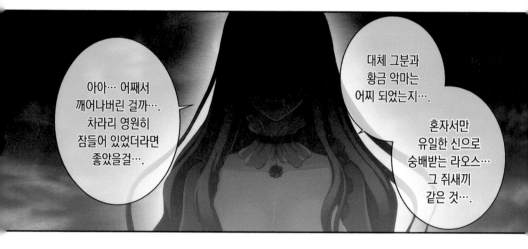

아아… 어째서
깨어나버린 걸까….
차라리 영원히
잠들어 있었더라면
좋았을걸….

대체 그분과
황금 악마는
어찌 되었는지….

혼자서만
유일한 신으로
숭배받는 라오스…
그 쥐새끼
같은 것….

무슨…
영문 모를
소리냐….

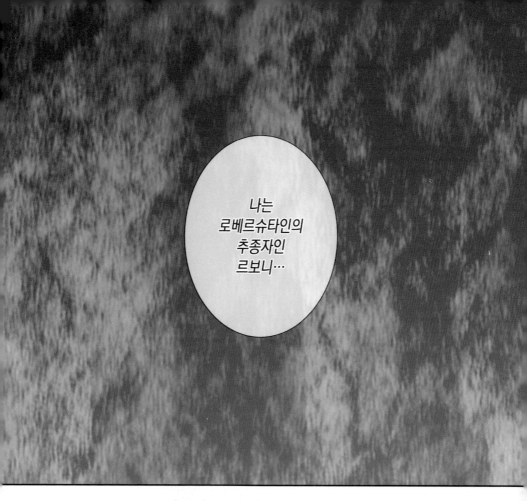

나는
로베르슈타인의
추종자인
르보니…

다음 권에 계속

그리고
이아나는
회귀했다

이스파이이~

아장

이아나
아가씨~

아장

반
짝

전세의 기억이
돌아왔다! ▼

어째서…

내가 왜
여기에 있는가!

아가씨
왜그러세요?

?

부들

부들

나는 분명
미련없이
죽었을 터인데…

벌써
사춘기신가?

248

이 여자는 르보니. 로베르슈타인 백작가의 두번째 부인으로 나를 낳았다.

무시

이아나!

즉, 엄마다.

너마저 이 어미를 무시하는거니!

전생에는 백작의 사랑을 얻고 싶어서 나를 심하게 이용했었지.

예잇!

?

샥

회피만렙

관심이 필요하면 말로 해!

난 네 어미란 말야아아~

으흑으흑

태생이 천해서
영~별로겠지만

백작님의 부탁이니
한번 봐드리지요

예법 교사인
프랄소느 부인.
전생에서도
내게 삐딱한
태도를 보였었다.

너무 멋졌어!

우아해!

이복오빠
하르첸

와...
완벽해!!

하르첸은 자주
이아나에게 꽃을 보낸다.

필요없어!!

흑흑

오늘 꽃도
별론가 봐

검은 나의 삶…
잠시 잊고
살려 했건만..

주섬…

??

지그시~

마, 마음에
들었나?

!!!

포기하지 않고
이아나에게 꽃을
선물하는
하르첸!

끈기인가
고집인가!

거부!

거부!

격렬한
거부!

도련님,
괜찮으세요?

으응…

와아~
최단 기록이네
오늘은……

하르첸
도련님?!

그만 뒀다.

꽃한테
화풀이 해봤자
부질없을 뿐이군

앗, 오늘은
최장기록…?

259

상전에게 뜨거운 물을 끼얹으려고 하다니

각오는 되어 있겠지? 네 얼굴에 벌을 내리겠다

꺄아아아아악!

거, 거기! 무슨일이냐!

지나가던 하르첸

사라체 마님에게 '엄마아~'라고 부르고 와

화끈

차 맛이 좋네

제발 그것만은!

으앙~

이, 이아나 하녀 얼굴은 공책이 아니야

애들 장난으로 끝내주는걸 감사히 여겨라

아가씨!
낮잠 주무실
시간이에요!

카니츠 경하곤
그만 어울리세요!

비밀리에
검 수련중

낮잠 같은 건
필요없어.

아가씨는
성장기라
필요해요!

에잇.
자꾸
그러시면!

!!

둥기
둥기
둥기
둥기

둥기둥기 스페셜!

대…
대단하군.

혹시
힘드시면
제가…

저 두 사람
잘 어울리네

263

독살 미수 사건을 겪은 사라체

아마도 범인은 르보니

다들 아직 신경이 곤두서있는 것 같네.

이럴땐..

꺄아아악

사, 사라체 마님!!

쿵덕

마님!!

짜잔~

독이 아니라 실은 자두즙이야~

*피자두

호호호

?!

다시는 그런 장난 치지 말아주세요!

응…

엉엉

이건 좀 아니었나…

헐쑥

265

저 여자
마음에 드는군

야,
4강에 올라온
여자 봤냐?

!

봤지~
몸매가 죽이던데
슬쩍 만져나 볼까?

끄악!

4강전은
대량의 기권자가
발생하여
결승전으로
넘어가겠습니다.

?

그 때부터
네게 미쳤던가…

진짜 이름은
아르하드 로 라르소
바하무트.

길어

그러고보니
완전 가명도
아니었어

결승전

이아나
로베르슈타인이라고
했나?

훗

그렇다만
뭐냐
잘생긴 놈

잘생긴 놈

…내 이름은
아르하드
로이긴이다.

흠

확끈

알겠으니
어서 시합이나
시작하지. 미남자

눈 앞의
짐승은

나와
동류다!

갑자기
안 싸우네…

조용~

나는 너를
갖고싶다.

싸우다가
눈 맞았어??

271

르보니는
체르노에게
한눈에 반했다

체르노
제발 날 봐줘요오오

난 결혼한 몸이야!

대체 뭐냐
그 여자는…

차를 드릴까요?

어떻게
들어온거냐!!

당신을
사랑하니까아아

적당히 해라
르보니!!

러브
스토리?

엄마 아빠의
러브 스토리란다.

빚을 탕감해줄테니 내 딸 르보니를 아내로 맞으시오.

어쩌면 좋단 말인가…

2일째

어쩌면 좋지…

3일째

어쩌면…

쭉쭉

저는 괜찮아요.

부디 이 가문을 지켜주세요

하하하 호호

사라체가 없으면 안 되는 양반이야.

년 사라체를
독살하려고 했어.

그건…
당신이 날
안 봐주니까
그렇지!

난 널 사랑하지 않아.
사랑한 적도 없다.

거짓말이야!!

그럼 왜
아이는
만든건데!!

아이

?!

아이를
만드는 건‥
가주의…
의무이자…

거짓말하지마
체르노오오오

278

초판인쇄 | 2023년 1월 16일
초판발행 | 2023년 1월 31일

만화 | 팀 아도니스
원작 | 혜돌이
펴낸이 | 조승진
펴낸곳 | ㈜동아미디어

출판등록 | 제 2020-000107호
주소 | 경기도 파주시 광인사길 9-6
전화 | (031)8071－5201
팩스 | (031)8071－5204
E－mail | bear6370@naver.com

정가 | 15,000원

ISBN | 979-11-6302-625-9 07810
ISBN | 979-11-6302-624-2(set)

ⓒ팀 아도니스 · 혜돌이 / ㈜동아미디어